GOSCINNY ET UDERZO
PRÉSENTENT
UNE AVENTURE D'ASTÉRIX

KT-448-633

LE TOUR DE GAULE D'ASTÉRIX

Texte de **René GOSCINNY**   Dessins d'**Albert UDERZO**

hachette

HACHETTE LIVRE - 43, quai de Grenelle, 75905 Paris Cedex 15

www.asterix.com

AVEZ-VOUS TOUT LU ?

LES ALBUMS D'ASTÉRIX LE GAULOIS

DES MÊMES AUTEURS AUX ÉDITIONS ALBERT RENÉ

© 1965 LES ÉDITIONS ALBERT RENÉ / GOSCINNY-UDERZO
© 1999 HACHETTE

Edité par Hachette Livre - 43 quai de Grenelle, 75905 Paris cedex 15
Imprimé en France par Pollina, à Luçon - L23323
Achevé d'imprimer en mars 2012
ISBN 978-2-01-210137-1 - Ed.13
Dépôt légal : janvier 1999

Loi n° 49956 du 16 juillet 1949 sur les publications destinées à la jeunesse

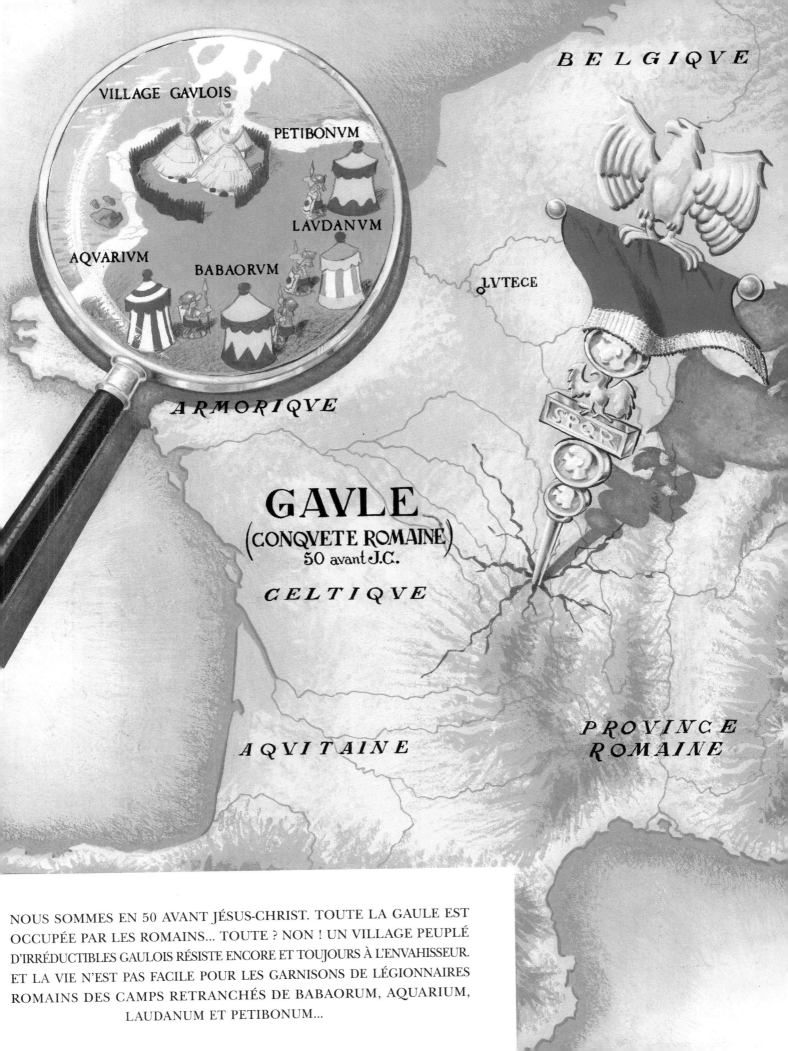

NOUS SOMMES EN 50 AVANT JÉSUS-CHRIST. TOUTE LA GAULE EST
OCCUPÉE PAR LES ROMAINS... TOUTE ? NON ! UN VILLAGE PEUPLÉ
D'IRRÉDUCTIBLES GAULOIS RÉSISTE ENCORE ET TOUJOURS À L'ENVAHISSEUR.
ET LA VIE N'EST PAS FACILE POUR LES GARNISONS DE LÉGIONNAIRES
ROMAINS DES CAMPS RETRANCHÉS DE BABAORUM, AQUARIUM,
LAUDANUM ET PETIBONUM...

ASTÉRIX, LE HÉROS DE CES AVENTURES. PETIT GUERRIER À L'ESPRIT MALIN, À L'INTELLIGENCE VIVE, TOUTES LES MISSIONS PÉRILLEUSES LUI SONT CONFIÉES SANS HÉSITATION. ASTÉRIX TIRE SA FORCE SURHUMAINE DE LA POTION MAGIQUE DU DRUIDE PANORAMIX...

OBÉLIX EST L'INSÉPARABLE AMI D'ASTÉRIX. LIVREUR DE MENHIRS DE SON ÉTAT, GRAND AMATEUR DE SANGLIERS ET DE BELLES BAGARRES. OBÉLIX EST PRÊT À TOUT ABANDONNER POUR SUIVRE ASTÉRIX DANS UNE NOUVELLE AVENTURE. IL EST ACCOMPAGNÉ PAR IDÉFIX, LE SEUL CHIEN ÉCOLOGISTE CONNU, QUI HURLE DE DÉSESPOIR QUAND ON ABAT UN ARBRE.

PANORAMIX, LE DRUIDE VÉNÉRABLE DU VILLAGE, CUEILLE LE GUI ET PRÉPARE DES POTIONS MAGIQUES. SA PLUS GRANDE RÉUSSITE EST LA POTION QUI DONNE UNE FORCE SURHUMAINE AU CONSOMMATEUR. MAIS PANORAMIX A D'AUTRES RECETTES EN RÉSERVE...

ASSURANCETOURIX, C'EST LE BARDE. LES OPINIONS SUR SON TALENT SONT PARTAGÉES : LUI, IL TROUVE QU'IL EST GÉNIAL, TOUS LES AUTRES PENSENT QU'IL EST INNOMMABLE. MAIS QUAND IL NE DIT RIEN, C'EST UN GAI COMPAGNON, FORT APPRÉCIÉ...

ABRARACOURCIX, ENFIN, EST LE CHEF DE LA TRIBU. MAJESTUEUX, COURAGEUX, OMBRAGEUX, LE VIEUX GUERRIER EST RESPECTÉ PAR SES HOMMES, CRAINT PAR SES ENNEMIS. ABRARACOURCIX NE CRAINT QU'UNE CHOSE : C'EST QUE LE CIEL LUI TOMBE SUR LA TÊTE, MAIS COMME IL LE DIT LUI-MÊME : "C'EST PAS DEMAIN LA VEILLE !"

Ô, ABRARACOURCIX, NOTRE CHEF, LES ROMAINS SONT EN TRAIN DE CONSTRUIRE UNE PALISSADE TOUT AUTOUR DU VILLAGE !

TIENS, POUR QUOI FAIRE ? ALLONS VOIR ÇA...

ILS SONT FOUS CES ROMAINS !

PUISQUE VOUS ÊTES SI MALINS, PAR MINERVE, JE VOUS ENFERME DANS VOTRE VILLAGE ! VOUS N'AUREZ PLUS LE LOISIR D'EN SORTIR ET DE RÉPANDRE VOTRE MAUVAIS ESPRIT EN GAULE !

...VOUS VOUS NOURRIREZ SEULEMENT DE CE QUE LES TERRES DE VOTRE VILLAGE PEUVENT PRODUIRE, ET ON VOUS OUBLIERA !

ROMAIN ! NOUS SOMMES CHEZ NOUS EN GAULE ET NOUS IRONS OÙ BON NOUS SEMBLERA...

ET JE TE FAIS MÊME UN PARI : NOUS ALLONS SORTIR DU VILLAGE MALGRÉ TA PALISSADE ET TES LÉGIONNAIRES ET NOUS FERONS UN TOUR EN GAULE !

NOUS RAMÈNERONS DES SPÉCIALITÉS DE CHAQUE RÉGION ET À NOTRE RETOUR, NOUS T'INVITERONS À UN BANQUET POUR TE PROUVER QUE NOUS N'AVONS PAS MENTI !...

HARHARHARRR RGNGNGNNNNN !!!

JE TIENS LE PARI, GAULOIS ! ET SI VOUS LE GAGNEZ, JE M'ENGAGE À LEVER LE SIÈGE ET À RETOURNER À ROME POUR AVOUER MA DÉFAITE À JULES CÉSAR !

QUAND VOUS SEREZ À ROME, DONNEZ LE BONJOUR À CAIUS OBTUS, C'EST UN COPAIN.

OUVRE L'ŒIL, ET LE BON !

L'AUTRE, JE PEUX PAS ENCORE L'OUVRIR, JE RISQUE PAS DE ME TROMPER !

8

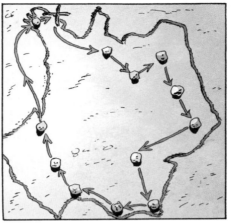

* VOIR "ASTÉRIX ET LA SERPE D'OR".

NOUS SOMMES À LA POURSUITE DE DEUX HORS-LA-LOI GAULOIS, ET J'AI CASSÉ UNE ROUE SUR CES PAVÉS INFERNAUX. C'EST MON CAMARADE QUI A PRIS LES CHEVAUX POUR VOUS PRÉVENIR...

POUR NOUS... AH, OUI !... PARFAITEMENT !

MAIS TU VAS DÉPANNER CE ROMAIN QUI NOUS CHERCHE ?

MAIS OUI ! IL NE SAIT PAS QUI NOUS SOMMES ET IL NOUS AIDERA À PASSER LE BARRAGE SANS DIFFICULTÉ.

MONTEZ DANS VOTRE CHAR ET NE VOUS OCCUPEZ DE RIEN !... VOTRE CAMARADE A DIT QUE C'ÉTAIT INUTILE DE L'ATTENDRE.

S'IL SAVAIT QUE C'EST NOUS, QU'IL CHERCHE !

AH ? BON.

HMGMPFFFPFFFFPFFF !

OBÉLIX ! TU VAS TOUT FAIRE RATER !

HALTE !

LAISSE-NOUS PASSER, PETILARUS, CE SONT LES DÉPANNEURS !

AH ? JE NE T'AVAIS PAS VU, MILEXCUS... ÉH BIEN, PASSEZ !

PFFFFFFFF !

RETIENS-TOI ENCORE UN PEU, OBÉLIX !

HOUAHOUAHOUA ! HOHOHOHO ! HAHAHA !!

CLAK !

EEEH ! PAS SI VITE ! MAIS OÙ ALLEZ-VOUS ? ARRÊTEZ !!!

J'EN AI ASSEZ DE L'ENTENDRE CELUI-LÀ !!!

TU AS RAISON, OBÉLIX, IL NOUS RETARDE !

NOOOOON ! NE COUPEZ PAS ! NE COUPEZ PAS !

CLONK !

JE VOUS RETROUVE-RAI, GAULOIS ! JE VOUS RETROUVERAI !

NOUS APPROCHONS DE NOTRE PROCHAINE ÉTAPE : DUROCORTORUM*.

* REIMS

ON VA ACHETER DU VIN ?

ON NE PEUT RIEN TE CACHER, OBÉLIX !

VIN DE DUROCORTORUM Visitez nos CAVES

DEMANDEZ UN MAGNUM

17

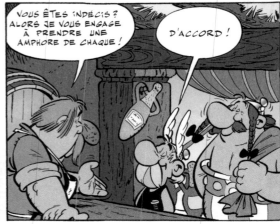

ÉVITONS LES ROUTES, OBÉLIX ! NOUS ALLONS PASSER À TRAVERS LES BOIS !

PEU APRÈS...

J'AI FAIM, ASTÉRIX... ET TOUTE CETTE NOURRITURE DANS LE SAC...

IL NE FAUT PAS Y TOUCHER, OBÉLIX ! NOUS DEVONS RAMENER CES DENRÉES INTACTES AU VILLAGE.

ASTÉRIX ! ÇA SENT LE SANGLIER RÔTI, PAR ICI !!!

SNIF ! SNIF !

?!?

ÇA VIENT DE LÀ-BAS !

IL Y A DES MOMENTS OÙ TON FLAIR M'ÉTONNE, PAR TOUTATIS !

SNIF SNIF

OBÉLIX... IL SERAIT PLUS PRUDENT QUE NOUS NOUS CONTENTIONS DE MANGER QUELQUES RACINES...

LES RACINES, C'EST BON POUR LES SANGLIERS ET LES SANGLIERS, C'EST BON POUR NOUS. COMME ÇA TOUT LE MONDE EST CONTENT, ET ALLONS-Y !

SNIF ! SNIF !

JE VAIS FRAPPER !

OBÉLIX ! NON ! NOON !

COMBIEN DE FOIS FAUDRA-T-IL TE DIRE DE NE JAMAIS FRAPPER À UNE PORTE ?!

J'AI OUBLIÉ...

QU'EST-CE QUE...

MAIS CE SONT LES DEUX GAULOIS QUE LES ROMAINS RECHERCHENT PARTOUT !... UN PETIT ET UN GROS AVEC UN SAC !...

NOUS NOUS DEMANDIONS, MON AMI ET MOI-MÊME, SI VOUS POUVIEZ NOUS SERVIR UN REPAS... NOUS PAYERIONS, BIEN SÛR !

ENTREZ ! ENTREZ ! VOUS ÊTES MES INVITÉS ! JE SUIS TOUJOURS HEUREUX D'AIDER MES COMPATRIOTES, FOI DE QUATRÉDEUSIX !

VRAIMENT, JE CROIS QUE NOUS ABUSONS...

MOI, JE CROIS QUE JE VAIS ABUSER ENCORE UN PEU...

MANGEZ, MANGEZ ! LES ROMAINS ME REMBOURSERONT LARGEMENT CE REPAS !

AAAAAH ! APRÈS CE BON REPAS, J'AI BIEN ENVIE DE FAIRE UNE SIESTE !

C'EST ÇA ! C'EST ÇA ! FAITES BIEN LA DIGESTION ; MOI, JE DOIS ALLER FAIRE UNE COURSE...

*METZ

VOILÀ... UNE VILLE DE GARNISON, IL A DIT...

ASTÉRIX A DÛ ÊTRE CONDUIT EN PRISON. ET LE MIEUX POUR TROUVER LA PRISON ET Y ENTRER, C'EST D'ÊTRE CONDUIT SOI-MÊME EN PRISON...

DÈS QU'ARRIVE UN LÉGIONNAIRE, PAF, JE LUI DONNE UNE PETITE TAPE ET HOP ! IL M'EMBARQUE... AH, EN VOILÀ UN BEAU !

PAF !

BEN ALORS ?... ENCHAÎNEZ-MOI, QUOI ! EMMENEZ-MOI EN PRISON !

EEEH ! CONDUISEZ-MOI EN PRISON ! J'AI ASSOMMÉ UN LÉGIONNAIRE !

VITE ! LAISSEZ LE LÉGIONNAIRE LÀ ET CACHEZ-VOUS ! SINON, LES ROMAINS VONT VOUS PRENDRE !

MAIS JE VEUX QUE LES ROMAINS ME PRENNENT ! JE CHERCHE LA PRISON !

AH ? EH BIEN, PUISQUE VOUS Y TENEZ, LA PRISON C'EST LA TROISIÈME RUE À DROITE.

MERCI.

CECI EST À VOUS. C'EST MOI QUI L'AI ASSOMMÉ. JE PEUX ENTRER ?

?!??

OBÉLIX !

ENFIN TE VOILÀ ! J'AI EU DU MAL À TE TROUVER. ET MAINTENANT, PARTONS !

ON ESSAIE DE NOUS ÉGARER... RETOURNONS SUR NOS PAS !...

ET PEU APRÈS...

YOUHOU ! QUELQUILFUS, TU ES LÀ ?

NON ! JE SUIS ICI !

MOI, JE NE SAIS PAS OÙ JE SUIS !

ET, À L'ENTRÉE DU LABYRINTHE...

CES DIABLES DE GAULOIS SONT EN TRAIN DE ME ROULER ! ...JE VAIS ENTRER DANS LE LABYRINTHE, À LA RECHERCHE DE MA GARNISON !

MAIS JE PRENDS LA PRÉCAUTION DE ME MUNIR DE CAILLOUX QUE JE SÈMERAI SUR MA ROUTE*

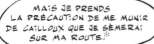

* CE PROCÉDÉ A ÉTÉ REPRIS BIEN PLUS TARD PAR UN CÉLÈBRE CONTEUR. CE QUI PROUVE QU'UNE BONNE IDÉE EST SOUVENT PILLÉE.

Ô, LA GARNISON ! OÙ ÊTES-VOUS ?

DE L'AUTRE CÔTÉ DE LA VILLE...

LES ROMAINS EN ONT POUR LA JOURNÉE À S'EN SORTIR... VOUS POUVEZ CONTINUER VOTRE ROUTE, NOUS VOUS AVONS PROCURÉ UN CHAR !

C'EST QUE...

NOUS DEVONS ACHETER QUELQUES DENRÉES... DES SPÉCIALITÉS DE LUGDUNUM.

NOUS Y AVONS PENSÉ. VOICI DU SAUCISSON ET DES QUENELLES.

COMMENT VOUS REMERCIER ?...

EN GAGNANT VOTRE PARI, LES AMIS !

YOU-HOU ! VOUS ÊTES LÀ ?

OH ! LE PRÉFET ENCORUTILFALUQUEJELESUS ! C'EST VOUS QUI PERDEZ TOUS CES CAILLOUX ? TENEZ, JE LES AI RAMASSÉS POUR VOUS !

DÉCURION, JE VEUX SORTIR !

NE NOUS ÉNERVONS PAS !

6.-63

23

VOILÀ CE QU'IL NOUS FAUT !

MAIS NON ! MAIS NON ! J'AI LOUÉ CETTE BARQUE POUR MOI TOUT SEUL ! VOUS ALLEZ LA FAIRE CHAVIRER !...

MAIS ON S'ÉLOIGNE DE LA CÔTE ! C'EST IMPRUDENT ! OÙ ALLEZ-VOUS ?

À MASSILIA !

JE NE SUIS PAS GROS ! NON MONSIEUR ! ENVELOPPÉ... TOUT JUSTE ENVELOPPÉ !

MAIS JE NE VEUX PAS ALLER À MASSILIA ! J'AI EU BEAUCOUP DE MAL À TROUVER UNE HOSTELLERIE À NICAE, ET C'EST PENSION COMPLÈTE ET JE NE VEUX PAS RATER UN REPAS ET...

NOUS ALLONS À MASSILIA ET CESSE DE NOUS CASSER LES OREILLES !!!

ET PUIS D'ABORD, C'EST TOUT DU MUSCLE. PAS DE GRAISSE. DU MUSCLE !

ENFIN, APRÈS UNE LONGUE NAVIGATION, NOS AMIS DÉBARQUENT À MASSILIA, LA MAGNIFIQUE...

MERCI BEAUCOUP DE NOUS AVOIR MENÉS EN BATEAU.

TIENS ? ÇA C'EST DRÔLE CE QUE TU VIENS DE DIRE LÀ, ASTÉRIX !

OH, L'HOMME ! OÙ QUE VOUS ALLEZ, COMME ÇA ?

BEN, JE RETOURNE À NICAE. JE SUIS EN PENSION COMPLÈTE.

À NICAE ? PAR LA MER ? AVÉ CE MISTRAL QUI SE PRÉPARE, QUE L'ÉRUPTION DU VÉSUVE EN COMPARAISON C'ÉTAIT DE LA RIGOLADE ! MAIS VOUS N'ÊTES PAS BIENG ?

C'EST BIEN LA DERNIÈRE FOIS QUE JE PASSE MES VACANCES SUR LA CÔTE !

TOUS FADAS CES LUTÉCIENGS !

26V

30

ENTRONS LÀ POUR NOUS RAFRAÎCHIR ET NOUS RENSEIGNER.

Ô, CÉSAR ! DU MONDE !

CÉSAR ?!...

MAIS NON ! QU'ALLEZ-VOUS CROIRE LÀ ?... JE SUIS CÉSAR, MAIS JE SUIS PAS JULES ! JE SUIS CÉSAR LABELDECADIX, LE PATRON DE LA TAVERNE DES NAUTES.

ENCHANTÉ... VOUS POURRIEZ NOUS RENSEIGNER... NOUS VOUDRIONS ACHETER UNE BOUILLABAISSE POUR EMPORTER...

UNE BOUILLABAISSE ?

Ô ÉPONINE ! PRÉPARE UNE BOUILLABAISSE, ON VIENT LA CHERCHER TOUT DE SUITE !

JE VOUS OFFRE LE PASTIX ?

NON, MERCI... NOUS PRÉFÉRONS DU LAIT DE CHÈVRE...

ET UN SANGLIER SI VOUS AVEZ...

DU LAIT DE CHÈVRE... UN SANGLIER... PEUCHÈRE ! VOUS SERIEZ PAS CES DEUX GAULOIS QUE TOUS CES FADAS DE ROMAINGS CHERCHENT PARTOUT ?...

MAIS OUI !

VOUS ÊTES DES BRAVES ! JE VOUS SOUHAITE LA BIENVENUE À MASSILIA ET J'OFFRE LA TOURNÉE ! DU LAIT POUR VOUS, DU PASTIX POUR NOUS !

MERCI, PAS POUR MOI...

MÔSSIEU ! QUAND J'OFFRE LA TOURNÉE, ON BOIT LA TOURNÉE ! MÊME QUAND ON EST UN ESTRANGER DE LUGDUNUM, COMME MÔSSIEU !

DANS TOUTE LA GAULE, LES ROMAINS, FURIEUX, AFFICHENT DES PLACARDS, OFFRANT DES RÉCOMPENSES POUR LA CAPTURE DE NOS HÉROS.

50.000 SESTERCES DE RÉCOMPENSE À QUI CAPTURERA
ASTÉRIX & OBÉLIX LES DEUX DANGEREUXX HORS-LÀ-LOI

ET DANS LA VILLE D'AGINUM*...

ILS SONT FORMIDABLES !

ON NE PEUT PAS DIRE QU'ILS SOIENT BEAUX, MAIS ILS ONT DE LA PERSONNALITÉ !

BONNE IDÉE, LE TOUR DE GAULE... JE ME DEMANDE SI NOUS SERONS VILLE-ÉTAPE !

SÛREMENT ! ILS S'ARRÊTERONT ICI POUR ACHETER NOS FAMEUX PRUNEAUX... ILS ONT ÉTÉ SIGNALÉS À TOLOSA !

* AGEN

DANS LE BUREAU DU CHEF DE LA GARNISON ROMAINE...

...CES DEUX GAULOIS SONT TRÈS FORTS. MOI, JE VOUS PROPOSE DE LES CAPTURER PAR LA RUSE...

...JE VAIS LEUR FAIRE MANGER DES ALIMENTS DROGUÉS, COMME ÇA, ILS S'ENDORMIRONT ET VOUS N'AUREZ PLUS QU'À VENIR LES CUEILLIR DANS MON AUBERGE.

JE N'AIME PAS CES PROCÉDÉS, MAIS D'ACCORD, ODALIX.

AHA ! IL N'Y A PAS UNE MINUTE À PERDRE ! JE VAIS ALLER À LEUR RENCONTRE !

ILS ARRIVENT ! ILS ARRIVENT !

LE TOUR DE GAULE D'ASTÉRIX ET D'OBÉLIX PREND UNE ALLURE TRIOMPHALE...

BRAVO !

VAS-Y !

ILS SONT BIEN GENTILS MAIS ILS VONT FINIR PAR NOUS FAIRE REPÉRER...

HALTE, LES AMIS ! VOUS ÊTES DES HÉROS, ET SI VOUS ME FAITES L'HONNEUR DE ME SUIVRE, JE VOUS INVITE À VOUS REPOSER DANS MON AUBERGE...

?!?

JE ME NOMME ODALIX ET IL Y AURA DES PRUNEAUX ET DES SANGLIERS !

MÉFIONS-NOUS, OBÉLIX, NOUS AVONS DÉJÀ ÉTÉ TRAHIS UNE FOIS !

DU SANGLIER ! ALLONS-Y, ASTÉRIX !

33

※ EN SOUVENIR DE LA BATAILLE, LA PLACE GARDERA CE NOM.

42

ET, CE SOIR-LÀ, L'INSPECTEUR GÉNÉRAL LUCIUS FLEURDELOTUS, LA MORT DANS L'ÂME, VIENT CONSTATER SA DÉFAITE...

VOICI LES METS QUE NOUS RAPPORTONS DE TOUTE LA GAULE... JAMBON DE LUTÈCE, BÊTISES DE CAMARACUM, VIN DE DUROCORTORUM...

...SAUCISSES DE TOLOSA, SAUCISSON DE LUGDUNUM, SALADE NICAEOISE, BOUILLABAISSE DE MASSILIA, HUÎTRES ET VIN DE BURDIGALA.

MAIS IL Y A UNE CHOSE QUI MANQUE À NOTRE BANQUET : LA SPÉCIALITÉ DE NOTRE VILLAGE !

TRÈS JUSTE OBÉLIX !

HOUA ! HOUA !

?!

Ô, FLEURDELOTUS, NOTRE VILLAGE T'OFFRE SA SPÉCIALITÉ...

?

LA CHÂTAIGNE !

TCHAC !

ET POUR FÊTER LA TRIOMPHALE ARRIVÉE DU TOUR DE GAULE, TOUS NOS AMIS FONT UN MAGNIFIQUE FESTIN... LE PREMIER FESTIN À PLUSIEURS ÉTOILES. LES GAULOIS MANGENT LES DÉLICIEUSES VICTUAILLES DE LEUR BEAU PAYS... ET LE ROMAIN COMPTE LES ÉTOILES...

FIN DE L'ÉPISODE

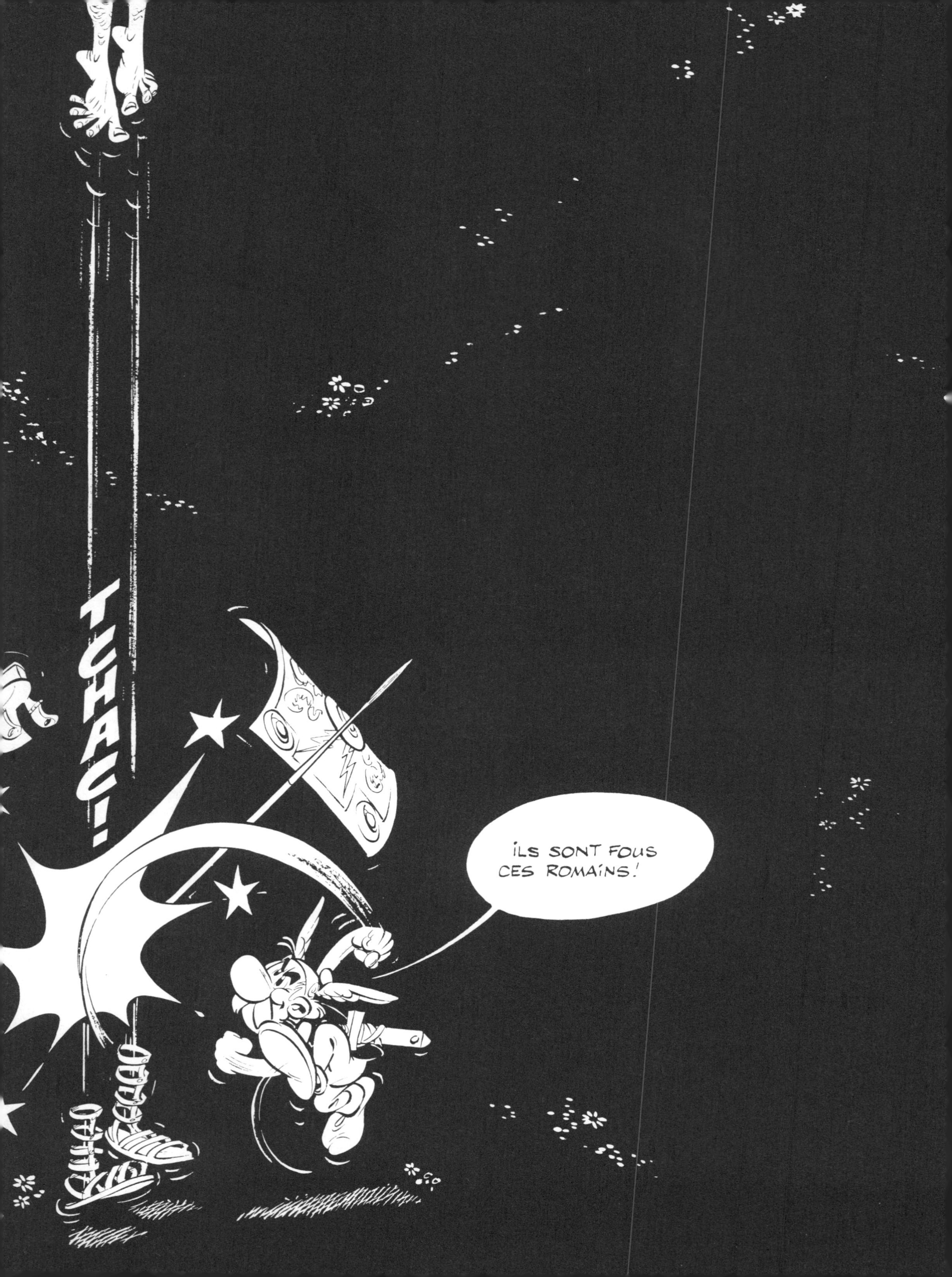
TCHAC!!
ILS SONT FOUS CES ROMAINS!

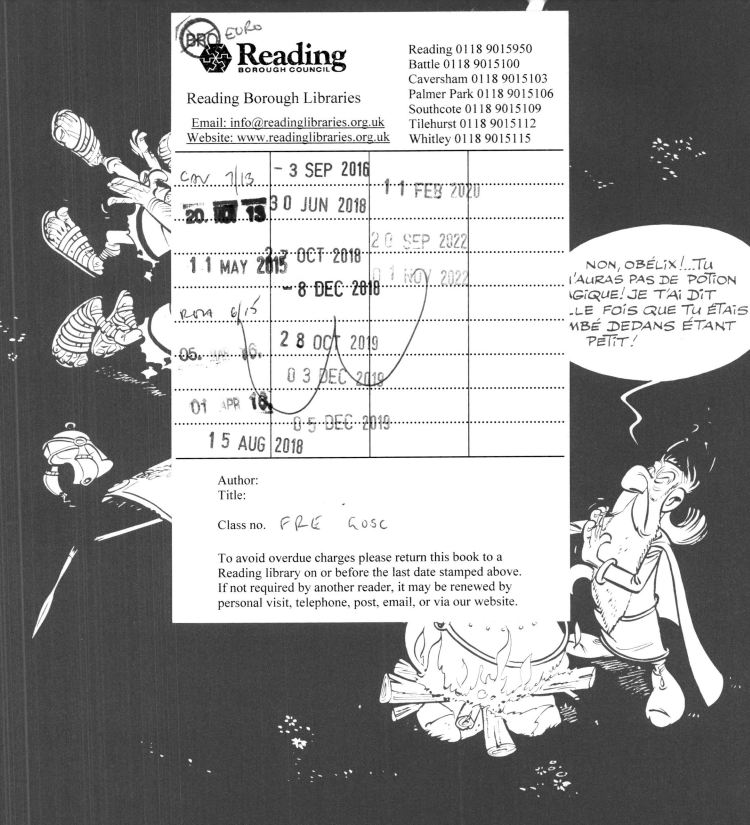

Reading
BOROUGH COUNCIL

Reading Borough Libraries

Email: info@readinglibraries.org.uk
Website: www.readinglibraries.org.uk

Reading 0118 9015950
Battle 0118 9015100
Caversham 0118 9015103
Palmer Park 0118 9015106
Southcote 0118 9015109
Tilehurst 0118 9015112
Whitley 0118 9015115

CAV 7/13	− 3 SEP 2016	1 1 FEB 2020
20. 13	3 0 JUN 2018	
1 1 MAY 2015	2 7 OCT 2018	2 0 SEP 2022
	− 8 DEC 2018	0 1 NOV 2022
RMA 6/15		
05. 16.	2 8 OCT 2019	
	0 3 DEC 2019	
01 APR 18	0 5 DEC 2019	
1 5 AUG 2018		

Author:
Title:

Class no. FRE GOSC

To avoid overdue charges please return this book to a
Reading library on or before the last date stamped above.
If not required by another reader, it may be renewed by
personal visit, telephone, post, email, or via our website.

Reading Borough Council

34126003555896